Collana **It**
4°

Italiano Facile
Collana di racconti

Progetto grafico copertina e illustrazioni: Leonardo Cardini
Progetto grafico interno e note illustrate: Paolo Lippi
Illustrazioni interne: Nicotina

Prima edizione: 1995
Ultima ristampa: novembre 2006
ISBN 978-88-86440-04-9

viale dei Cadorna, 44 - 50129 Firenze - Italia
Tel. +39 055 476644 - Fax +39 055 473531
info@almaedizioni.it - www.almaedizioni.it

PRINTED IN ITALY
la Cittadina, azienda grafica - Gianico (BS)
info@lacittadina.it

Alessandro De Giuli
Ciro Massimo Naddeo

Mediterranea

ALMA Edizioni
Firenze

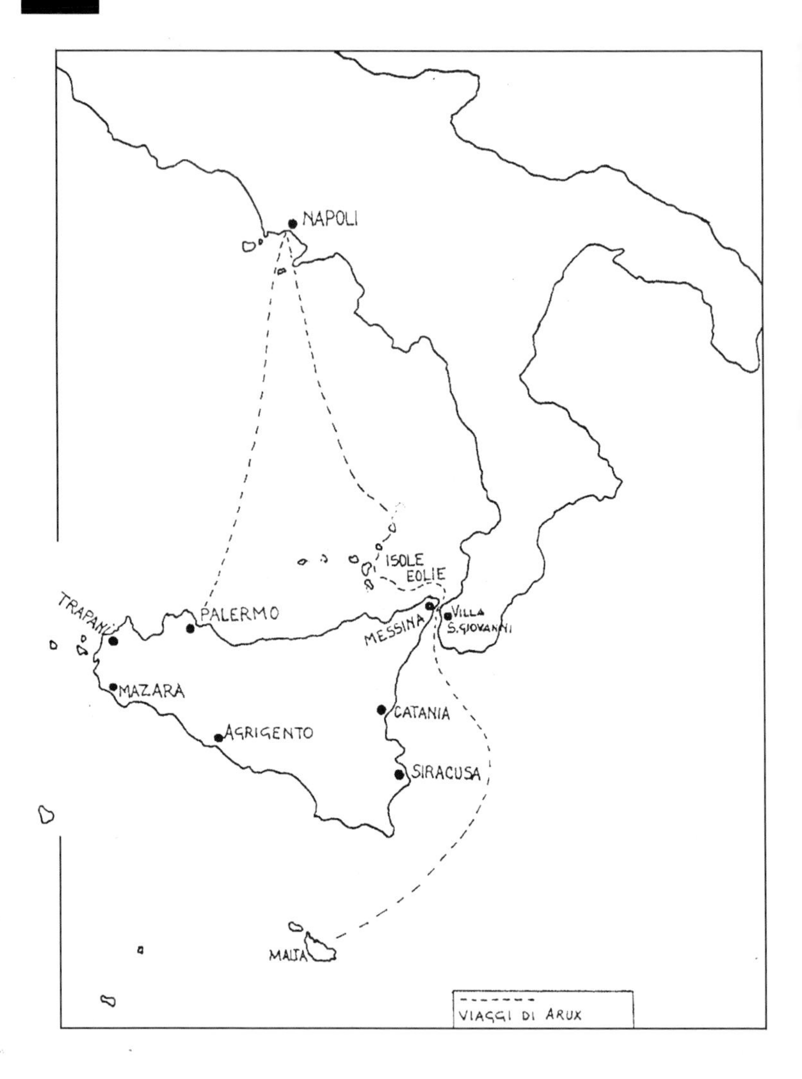

ITALIA DEL SUD

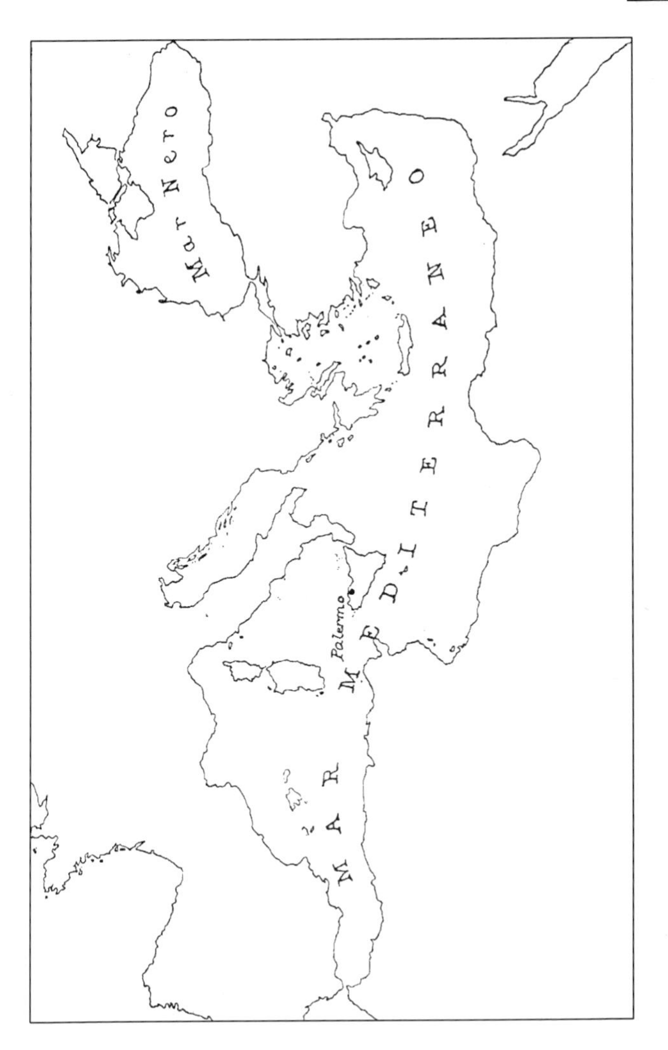

MAR MEDITERRANEO

INTRODUZIONE

guerrieri

Palermo, anno 1076.

Dopo che - per più di duecento anni - gli arabi erano stati i padroni della Sicilia, a quel tempo nell'isola governavano i normanni, popolo di **guerrieri** venuti dal nord Europa.

Palermo, con i suoi bellissimi giardini e palazzi, era grande e ricca. Nella città vivevano insieme greci e latini, musulmani e cristiani, europei ed africani.

Questa è la storia del **principe** Arux, figlio di Gugliemo, **re** dei normanni, e della giovane e bellissima Elisa, figlia di Nino Cadamo, ricco e rispettato **mercante** della città.

È la storia della loro vita: di come si siano prima incontrati e poi, per molto tempo, separati; e di come l'amore - che tutto vince - li abbia infine riuniti.

re

principe: figlio del re

mercante: uomo d'affari del tempo antico, commerciante, venditore.

Note

Parte prima

L'AMORE

CAP I

«...non conosce l'amore il guerriero normanno».

La poesia era finita.

Elisa, seduta nel grande giardino della villa di suo padre, Nino Cadamo, aveva chiuso il libro e aveva alzato gli occhi, i suoi grandi occhi neri. Arux era rimasto zitto. Nel caldo violento dell'estate mediterranea, tra i profumi fortissimi dei fiori e dei frutti, il giovane Arux si sentiva senza forze. Qualcosa lo aveva preso da dentro, le gambe non si muovevano e le mani **tremavano**.

- Ti è piaciuta? - aveva domandato Elisa.

- Cosa...?

- La poesia: ti è piaciuta? Capisco, non sono parole molto gentili per un normanno, ma a noi siciliani è rimasta solo la poesia contro la forza del popolo del nord.

Elisa parlava e i suoi occhi neri ridevano felici.

- È bellissima... - aveva finalmente risposto Arux.

- Veramente ? - aveva chiesto la dolce voce di Elisa.

---

tremavano (inf. tremare): si muovevano nervosamente e senza controllo. *Es.: Maria e Carla tremavano per il freddo.*

- Sì, veramente. Mi piace da morire. "E anche tu" - aveva pensato Arux - "Mi piaci da morire".

Poi aveva salutato Elisa e se ne era andato con la testa confusa e il cuore pieno di un sentimento nuovo e sconosciuto. Lui, il principe Arux, uomo educato alla guerra e al potere, davanti a quella donna bellissima si era sentito come un bambino senz'**armi**.

"Forse è questo l'amore" - aveva pensato, mentre camminava nelle strade piene di luce della città - "Una forza sconosciuta e misteriosa. Oggi, davanti a Elisa, l'ho capito. Io la amo. La amo e la voglio sposare".

Con questi pensieri era tornato nelle fresche stanze del Palazzo Reale. I profumi dell'estate viaggiavano leggeri nell'aria del mattino. Il canto degli uccelli era una musica dolce e melodiosa. La vita, in quei momenti, sembrava più bella. Arux aveva deciso: il giorno dopo sarebbe andato dal padre, il vecchio re Guglielmo, e gli avrebbe parlato del suo amore per Elisa.

CAP II

- Un guerriero, un principe del nord non può pensare di sposare quella donna.

Nel grande salone di pietra, nel silenzio del pomeriggio, le parole del re erano state dure e terribili.

- Ma io l'amo! - aveva gridato Arux, in piedi davanti a suo padre

armi

Note

Guglielmo e a tutti i **nobili** normanni.

- Amore... Cosa ne sai tu dell'amore? Forse hai dimenticato i doveri di un principe? La bocca di un guerriero normanno non è fatta per pronunciare parole di donna.

- Ma io... - aveva ripetuto Arux.

Poi era rimasto zitto e un silenzio di fuoco era caduto nella sala. Senza più forze, Arux non aveva saputo continuare. Lentamente, sotto gli occhi di ghiaccio dei guerrieri del nord, era uscito dalla grande sala di pietra. La paura aveva vinto. Per la prima volta nella sua vita, Arux non aveva avuto **coraggio**. Suo padre **lo aveva umiliato** davanti a tutti i nobili normanni.Un principe guerriero, un principe del nord non poteva pensare di sposare una donna come quella: non la figlia di un re, o di un nobile, ma la figlia di un mercante siciliano, una donna di un altro popolo, una donna straniera. Lui, giovane principe, si era comportato come uno stupido. Ora, solo nella sua stanza, ricordava le parole di quella poesia:

«Non conosce l'amore il guerriero normanno».

"È vero" - pensava Arux - "Non conosco l'amore. Per questo non ho saputo rispondere a mio padre".

---

nobili: persone di famiglia antica e importante. *Es.: i re, i principi, i conti, i lords inglesi, i marahajà indiani, gli sceicchi arabi, ecc. sono nobili.*

coraggio: l'opposto della paura. *Es.: James Bond ha molto coraggio; da solo combatte contro tutti i criminali del mondo.*

lo aveva umiliato (inf. umiliare): non lo aveva rispettato. Lo aveva trattato male, come una persona senza importanza.

CAP III

Il sole del tramonto sul mare di Palermo.

Qualche giorno è passato. Arux cammina nel porto. Una voce, dietro di lui, lo saluta:

- Buonasera signore.

È Rosina, un'amica di Elisa.

- Buonasera Rosina.

- Cosa fai tutto solo? Sembri un po' triste. A cosa pensi?

- Penso... al coraggio, alla forza...

- Sempre uguali voi **soldati** - ride Rosina - Ma alla poesia, al mare o all'amore non ci pensi mai?

- All'amore... Tu Rosina, ci pensi?

- Certo, io e Elisa passiamo ore ed ore a leggere e a parlare d'amore.

- A me, invece, nessuno ha mai insegnato nulla dell'amore - dice Arux con voce poco sicura.

- Ma come... Ci sono mille libri e mille storie sull'amore. E poi basta ascoltare gli uccelli...

- Gli uccelli? Ma gli uccelli non parlano...

- Certo Arux, gli uccelli parlano. E spesso, soprattutto nelle sere d'estate, parlano d'amore.

- E tu capisci gli uccelli, Rosina?

- Sì. Ho imparato da bambina e ora, quando ho tempo, resto sempre ad ascoltare le loro storie: racconti di viaggi su isole

---

soldati: militari, guerrieri. *Es.: i soldati fanno la guerra.*

lontane, deserti e montagne; e poi di uomini, soldati e mercanti; di donne africane e filosofi indiani.

- Davvero Rosina? Ma chi ti ha insegnato a capire gli uccelli?
- Un vecchio, quando ero piccola...
- E chi è questo vecchio? Dove lo posso trovare?
- Si chiama Mastro Michele. Non so dove sia adesso, non lo vedo da tanto tempo. Forse è morto. Però Nurdin lo conosceva bene, era suo amico.
- Nurdin...?
- Sì, Nurdin l'arabo che vende il tè al mercato. Non è difficile trovarlo. Digli che ti manda Rosina e che tu cerchi Mastro Michele, l'uomo che conosce la lingua degli uccelli. Ma adesso mi devi scusare, io devo andare.
- Grazie Rosina e a presto.
- A presto signore. E buona fortuna.

CAP IV

Nel fresco mattino, sotto le lunghe **palme** dei viali.

Arux non ha dormito. La notte è passata tra mille pensieri: Elisa e i nobili normanni, la guerra e l'amore, le parole di Rosina sugli uccelli... Ora cammina tra le vie del mercato: negozi ricchi di vestiti, profumi e tappeti, di dolci e di frutti di ogni colore. Intorno a lui, uomini e donne di tutti i paesi: nere africane e biondi normanni,

palme: alberi del deserto.

principi arabi e religiosi cristiani, mercanti greci, spagnoli e veneziani.

Questa è Palermo: città di mare, di viaggi e di affari.

- Buongiorno signore, cerco Nurdin. Mi hanno detto che vende il tè qui al mercato.

- Io sono Nurdin, mi hai trovato. Ma siediti, bevi qualcosa e dimmi chi sei.

- Sono Arux, il figlio del re.

- Ho sentito parlare di te - dice Nurdin mentre gli offre da bere - Sei un soldato.

- Non so se sono ancora un soldato - risponde Arux.

- Ma come... Il figlio del re, l'uomo che ha vinto tante guerre e battaglie...

- È vero, ero un soldato, ma ieri ho capito di non avere abbastanza coraggio. Davanti all'amore le mani mi tremano, la voce si ferma e la forza mi manca.

- Capisco, conosco l'amore. Io sono vecchio...

- Tu conosci l'amore?

- Certo, un uomo deve imparare a vivere con e contro l'amore.

- Ma noi uomini del nord, guerrieri dei mari e del freddo, non conosciamo l'amore.

- Sei giovane Arux... Ora dimmi: cosa vuoi da me?

- Ieri sera, al porto, ho incontrato Rosina, l'amica di Elisa, figlia di Nino Cadamo.

- Conosco Rosina, è una brava ragazza.

- È brava - continua Arux - E, soprattutto, capisce la lingua degli uccelli.

- Molta gente capisce la lingua degli uccelli...

Note

- Anch'io vorrei impararla. Rosina mi ha detto che spesso gli uccelli parlano d'amore.

- Vuoi capire l'amore ascoltando gli uccelli?

- Sì, e tu puoi aiutarmi.

- E come? - domanda Nurdin.

- Rosina mi ha parlato di un tuo amico: Mastro Michele.

- Il vecchio Mastro Michele? Ma ormai è partito...

- Per dove? E da quanto?

- Da due anni - risponde Nurdin - Quando sono arrivati i normanni, Mastro Michele ha preso una nave ed è partito per Napoli. Da allora non ho più sue notizie.

- Io voglio trovarlo. Parlami di lui.

Arux e Nurdin bevono il tè lentamente. Con voce calma e gentile, Nurdin spiega ad Arux chi sia Mastro Michele, l'uomo che insegna a capire gli uccelli.

Note

Parte seconda

IL VIAGGIO

CAP I

Tre amici seduti a giocare a carte davanti alla Grande **Moschea**: Teo, Rud e Giuseppe.

Teo è un greco di Atene: nervoso e sicuro, nessuno conosce il mare meglio di lui. Rud è un soldato del nord: con Arux ha giocato da piccolo e con lui ha viaggiato e poi combattuto. Giuseppe è un **pescatore** siciliano: è nato a Palermo, dove è sempre vissuto.

- Venite con me? - chiede Arux, mentre arriva dal porto.

- E dove? - dice Giuseppe - Oggi fa caldo... Perché non ti siedi con noi?

- Non c'è tempo. Tra poco io parto per Napoli. Una nave è già pronta.

- Per Napoli...? - ripetono i tre.

- Sì. Nurdin, l'arabo che vende il tè al mercato, mi ha detto che l'uomo che cerco è a Napoli.

Arux spiega tutto agli amici: l'amore per Elisa, le dure parole del

---

Moschea: posto dove i musulmani vanno a pregare. *Es.: i cristiani pregano in chiesa, gli ebrei nella sinagoga e i musulmani nella moschea.*

pescatore: uomo che prende (pesca) il pesce dal mare.

padre, i racconti di Rosina sugli uccelli e le notizie di Nurdin su Mastro Michele.

- D'accordo - dice Rud alla fine - Partiamo con te.

Sono sul mare adesso gli amici, la loro nave è veloce e sicura. La giornata è quasi finita. Arux ha mangiato del pesce e ora dorme tranquillo: il vento e le **onde** gli hanno dato il sonno e la quiete.

CAP II

Due settimane sono passate da quando Arux, insieme agli amici, è partito per Napoli alla ricerca di Mastro Michele, l'uomo che capisce la lingua degli uccelli.

Trovarlo non è stato difficile: al loro arrivo, Mastro Michele li stava aspettando sul porto. Gli uccelli del mare, infatti, gli avevano detto che una nave normanna stava venendo per lui da Palermo.

- Sono contento che siate arrivati - li ha salutati - Da molto tempo avevo deciso di tornare a Palermo. Ormai sono vecchio e non voglio morire lontano dalla mia città.

Così, dopo due giorni, la nave ha preso la via del ritorno. Ora è vicino alle Isole Eolie. Improvvisamente...

- Guardate laggiù: sono navi **pirata**!

- Ma cosa dici, Giuseppe?

onde

pirata: i pirati sono i criminali del mare.

Note

Sì, sono tre navi pirata. Lentamente, si stanno avvicinando: una viene da nord ed è dietro la nave di Arux; le altre due sono proprio davanti.

- Pirati di **Malta** - dice Mastro Michele - Scappare non sarà facile.

- Stai tranquillo - grida Rud con voce sicura - I pirati non ci fanno paura. Siamo solo quattro però è come se fossimo cento.

- So che non vi manca il coraggio, ragazzo, ma guarda la nave: è ferma. Non c'è più vento e senza vento non potremo far molto.

- A cosa serve il vento? - chiede Arux - Un guerriero normanno usa solo la **spada**!

Come leoni, Arux e i tre amici combattono contro i pirati. Dieci, cento, mille uomini intorno a loro... Arux li aspetta senza paura, in piedi sulla nave. Li colpisce con la sua spada al petto ed al cuore.

Trenta ne uccide Teo con il suo coltello. Rud usa le sue braccia, forti come la pietra, per alzare i corpi dei morti e lanciarli contro i vivi, che cadono in mare. Giuseppe ne uccide dieci con la sua **lancia** e ride ogni volta che un nuovo pirata gli si avvicina.

Come leoni combattono i quattro amici, ma il vecchio Mastro Michele aveva ragione: senza vento, non è possibile salvarsi.

Così i pirati li prendono e li portano a Malta. Arux, Teo, Rud, Giuseppe e il vecchio Mastro Michele saranno **schiavi** sull'isola.

Malta: isola del mar Mediterraneo ***(vedi le cartine a pag.4-5)***

schiavi: uomini non liberi. *Es.: nel mondo antico, gli schiavi lavoravano per i ricchi signori.*

CAP III

L'estate è lontana. Il freddo vento del nord ha portato l'inverno.

Da qualche mese Arux e i suoi amici sono prigionieri dei pirati. Nelle campagne di Malta lavorano la terra dal mattino alla sera.

Spesso, durante le lunghe giornate, Arux si ferma ad ascoltare gli uccelli. Ormai, con l'aiuto di Mastro Michele, ha imparato a capirne la lingua.

Anche ora, sotto un albero, ascolta due uccelli parlare:

- Vengo dal nord - dice il primo.

- Raccontami allora: che succede in Sicilia?

- Da Palermo ci sono notizie di guerra.

- Cosa dici? Forse i normanni si combattono tra loro? O di nuovo gli arabi hanno preso il potere in città?

- Ora racconto, stammi a sentire...

Parla a lungo l'uccello venuto dal nord:

- Ho sentito dire che il giovane Lothar, guerriero normanno, non era d'accordo col re. Guglielmo voleva mandare ai pirati di Malta duemila monete d'oro e tremila d'argento in cambio del figlio. Lothar, invece, voleva combattere per prendere Malta e liberare il principe Arux.

- E cosa è successo?

- Hanno discusso per tre settimane. Alla fine, per volere del re, Lothar ha dovuto lasciare Palermo. Ma dopo due mesi è tornato: con navi da guerra e con mille soldati.

- E la guerra?

- La guerra è stata terribile: tre giorni di sangue e di morte. Il fuoco di notte e, di giorno, il rumore del **ferro** che taglia le teste e le braccia.

- E come è finita?

- È finita a Palazzo Reale, nel grande salone di pietra. Re Guglielmo aspettava Lothar...

- E quando è arrivato?

- Quando è arrivato, si sono guardati negli occhi. Due grandi soldati: Guglielmo è il potere che cade, un vecchio guerriero che vede arrivare la morte; Lothar è giovane e forte, nelle mani ha la spada che ucciderà il re.

- E poi?

- E poi è finita: il rosso del sangue sul bianco vestito del re, un grido e il silenzio.

È finita la guerra, tutti piangono i morti.

Anche Arux, sotto l'albero, piange la morte del padre. Ma subito pensa a scappare: vuole tornare, Palermo lo aspetta. Sarà guerra e **vendetta**.

CAP IV

Il grigio cielo d'inverno.

A mezzogiorno, gli schiavi di Malta discutono. È Rud che parla, con gli occhi tristi che guardano a terra. Ha saputo della guerra a

---

ferro: metallo. *Es.: i coltelli, le spade e le armi in generale sono di ferro.*

vendetta: reazione contro un'ingiustizia. *Es.: Mario mi ha umiliato e io, per vendetta, gli ho rotto gli occhiali.*

Palermo, della morte del re e del nuovo potere di Lothar.

- Ho capito Arux, vuoi scappare. Ma poi, dove andremo?

- Già, dove andremo? - si chiede Giuseppe - Tornare a Palermo per noi è impossibile. Lothar adesso è il re e di certo non vuole che Arux, il figlio di Guglielmo, entri in città.

- Non è questo il problema - risponde Arux con voce tranquilla - Ora pensiamo a scappare...

- E come? Siamo su un'isola. Intorno c'è il mare e i pirati ci controllano sempre.

- Tagliamo degli alberi e facciamo una nave - propone Teo, come sempre nervoso e sicuro.

- Io ho un'altra idea - dice calmo Mastro Michele.

- Avanti, racconta: tu sei vecchio e sai molte cose.

- Ascoltatemi bene: oggi è l'ultimo giorno dell'anno. Stasera, dopo il tramonto del sole, tutti andranno a mangiare e a ballare. Anche i pirati lasceranno le armi per andare alla festa. Noi, a quell'ora, potremo incontrarci con Jonas e Sario. Loro conoscono le **nuvole** e ci aiuteranno a scappare.

- Chi sono Jonas e Sario? - chiede Rud che ora alza gli occhi da terra - E cosa vuol dire "conoscono le nuvole"?

- Stasera lo vedrete - risponde misteriosamente Mastro Michele, mentre si alza per tornare al lavoro.

Nel freddo invernale gli schiavi lavorano ancora la terra. Tutti pensano alla sera e alla festa. Arux e gli amici sognano invece la libertà e il ritorno a Palermo.

nuvole

CAP V

Notte di festa nelle strade di Malta. Musica e danze in tutte le case. La gente saluta l'arrivo del nuovo anno.

Nei campi, due uomini sono seduti davanti alla luce del fuoco. Si chiamano Jonas e Sario. Sono schiavi e vengono dai monti dell'est. In silenzio, con gli occhi stanchi, stanno bevendo del vino.

Una voce li chiama: è Mastro Michele. Insieme a lui ci sono Arux, Teo, Rud e Giuseppe.

- Buonasera Mastro Michele. Chi sono le persone che porti?

- Sono amici. Vi ho già parlato di loro.

- Sedetevi allora e bevete del vino.

Nessuno, adesso, controlla gli schiavi. Come aveva detto Mastro Michele, anche i pirati sono corsi alla festa.

- Vogliamo scappare, stanotte è possibile - dice Mastro Michele a Jonas e Sario - Voi dovete aiutarci.

- D'accordo - rispondono - Saliremo in montagna e resteremo ad aspettare le nuvole del nuovo giorno.

- Aspettare le nuvole? - domanda Arux.

Anche Teo, Rud e Giuseppe guardano i due schiavi con occhi sorpresi. Nessuno ha capito le loro parole. Allora Jonas comincia a spiegare:

- Sì, certo: aspetteremo le nuvole. Io e Sario siamo nati sui monti dell'est. Là in alto era facile salire sulle nuvole bianche e poi, come **cavalieri** del cielo, viaggiare per terre e per mari. Se farete quello che

---

cavalieri: uomini che vanno a cavallo.

vi diremo, scappare non sarà difficile.

- Ho capito - dice Arux - Andiamo, allora: i pirati potrebbero tornare.

Così, gli amici corrono sul monte più alto ad aspettare il nuovo mattino. Poi, quando il primo sole colora il cielo d'azzurro e di rosa, salgono sulle nuvole bianche e, nell'aria leggera, si alzano sopra le case, il porto e il mare di Malta.

Ora vola nel cielo il principe Arux. Ritorna a Palermo insieme agli amici. Saluta gli uccelli e ride felice.

Parte terza

IL RITORNO

CAP I

Palermo, la grande **biblioteca**.

Mentre fuori la città lavora, dentro, nelle sale piene di libri, professori e sapienti di tutti i paesi discutono: sono filosofi e poeti, teologi e matematici. Tra loro, un vecchio dalla barba lunghissima e bianca sta parlando da un'ora. È Apollonio di Samo, famoso filosofo:

- Dio è giustizia e amore. Amore e giustizia sono una cosa sola...

I sapienti lo ascoltano, ma senza molto interesse. Oggi vorrebbero sentire altre parole.

- Ma non c'è amore oggi a Palermo, non c'è giustizia... - grida una donna.

È giovane e bella. È Elisa, in piedi nella grande sala. I sapienti la guardano. Lei continua a parlare:

- ...i soldati di Lothar **rubano** e uccidono. La vita a Palermo è

---

biblioteca: posto dove stanno i libri, centro culturale. *Es.: oggi sono andato a studiare alla Biblioteca Nazionale.*

rubano (inf. rubare): prendono illegalmente le cose di altre persone. *Es.: due uomini entrano nella banca e rubano tutti i soldi.*

Note

diventata terribile, la gente ha paura ad uscire di casa. Gli affari non vanno e le navi sono ferme nel porto.

Gli occhi neri di Elisa **brillano** nella sala.

- Non parliamo d'amore e giustizia; non c'è amore e giustizia in città, ma solo **odio** e violenza.

Adesso i sapienti ascoltano attenti. La voce di Elisa è calda e sicura:

- Le donne hanno paura, i greci, gli arabi e i siciliani hanno paura... E allora, perchè continuiamo a parlare di amore e giustizia?

La discussione continua tra i sapienti. Per loro, da mesi è finita la pace degli anni passati. Le navi non portano nulla: né libri importanti, né famosi filosofi. Non c'è più cultura oggi a Palermo. I soldati ed il re vogliono solo ricchezza per sé e dolore per gli altri.

CAP II

È quasi sera adesso in città. Mentre i negozi chiudono, tutti ritornano a casa. Anche Elisa ha lasciato la biblioteca e le discussioni con Apollonio di Samo e gli altri sapienti.

Come sempre a quest'ora, Rosina la aspetta.

- Hai saputo la grande notizia?

- No. Dimmi Rosina.

- Sembra che Arux sia scappato da Malta e che sia tornato per vendicare suo padre Guglielmo.

---

brillano (inf. brillare): sono pieni di luce. *Es.: di notte, le stelle brillano nel cielo.*

odio: l'opposto di amore. *Es.: l'odio è un brutto sentimento.*

- Vuoi dire che Arux è in città?

- Così dice la gente. Qualcuno invece pensa che sia in montagna e che da lì prepari la guerra. Sembra che Lothar adesso abbia paura e che non esca più da Palazzo Reale.

Elisa sorride, è contenta: da mesi aspettava il ritorno di Arux. Spesso, nelle lunghe sere d'inverno, rileggeva le parole di quella poesia:

«Non conosce l'amore il guerriero normanno»,

e ricordava i giorni felici. Palermo intanto, dopo la partenza di Arux, era diventata un **inferno**: Lothar aveva ucciso re Guglielmo e aveva preso il potere.

"Ma se ora Arux è tornato" - pensa Elisa - "Con lui torneranno l'amore e la felicità. Anche le violenze dei soldati di Lothar dovranno finire".

- È davvero una bella notizia - dice ora Elisa con grande emozione.

Ma Rosina non la sta ascoltando. Ha visto qualcosa in fondo alla strada: un gruppo di soldati sta venendo verso di loro.

- Andiamo via - dice - Non voglio incontrarli.

Elisa e Rosina prendono la strada di casa mentre, dietro di loro, gli uomini di Lothar cominciano a seguirle.

- Ho paura Rosina, quegli uomini vogliono noi!

- Passiamo per la Grande Moschea. Forse là qualcuno potrà aiutarci.

- No, a quest'ora non troveremo nessuno. È meglio andare verso il mercato.

---

inferno: secondo molte religioni, il posto dove vanno gli uomini cattivi dopo la morte; posto molto brutto, l'opposto del paradiso.

Le due ragazze adesso corrono veloci. Passano per le strette vie della città senza fermarsi. La sera sta scendendo a Palermo e le strade sono deserte. Nelle case, la gente ha paura: quando vede arrivare gli uomini di Lothar, chiude porte e finestre.

- Ehi, voi due! Fermatevi! - gridano i soldati, sempre più vicini.

Le due amiche bussano ad una porta, chiedono aiuto, ma nessuno risponde.

"È la fine" - pensa Rosina.

- Cosa volete, perché ci seguite? - chiede Elisa ai soldati.
- Cerchiamo Elisa, la figlia di Nino Cadamo. Deve venire con noi a Palazzo Reale.
- A Palazzo Reale?!
- Sì, così vuole re Lothar.

Le due ragazze si guardano negli occhi. Non capiscono.

- Allora, - ripete un soldato con voce nervosa - chi di voi due è Elisa?
- Sono io - dice infine Elisa.
- Andiamo dunque.

È notte a Palermo. Silenzio e paura nelle strade. I soldati di Lothar hanno portato Elisa al palazzo del re. Nel buio, da sola, piange Rosina.

Note

CAP III

A Palazzo Reale, nel grande salone di pietra. La luce del mattino entra dalle lunghe finestre. Elisa, in piedi davanti a Lothar, sta parlando:

- ...ho passato la notte in una camera fredda e buia, senza dormire. Perché mi tieni in **prigione** senza motivo? Io non ho fatto nulla. Forse un re grande e potente come te, ha paura di una giovane donna?

- Arux è tornato - dice Lothar - E con uomini e navi è pronto ad **attaccare** Palermo. La guerra ed il sangue torneranno in città. Io voglio la pace e lui vuole vendetta...

- Tu parli di pace? Tu, l'**assassino** di re Guglielmo? Tu hai portato la violenza e la morte in una città che viveva nell'amore e nella giustizia... Tu - continua Elisa con voce sicura - sei solo un assassino, non sei il vero re. Tutta la gente, a Palermo, ti odia.

Elisa parla senza paura mentre, davanti a lei, Lothar la guarda nervoso.

- Ed ora, poiché hai paura di Arux, mi tieni in prigione... Ma pensi davvero che in questo modo Arux si fermerà?

- Quando saprà che sei mia prigioniera - risponde Lothar - non attaccherà la città, di questo sono sicuro. Se lo farà, tu morirai.

- Io sono innocente, non puoi uccidermi... Il potere deve essere giusto...

---

prigione: luogo dove vanno le persone che hanno fatto qualcosa contro la legge. *Es.: in prigione, gli uomini non sono liberi.*

attaccare: cominciare la guerra. *Es.: il Giappone ha deciso di attaccare gli Stati Uniti nel 1941.*

assassino: persona che ha ucciso qualcuno. *Es.: la polizia cerca l'assassino del signor Rossi.*

- Questa è la mia giustizia - dice Lothar, mentre si alza. Poi si gira verso i soldati - Portatela via, questa donna mi ha stancato.

Fa freddo, adesso, nella grande sala di pietra: Elisa trema e non riesce a parlare. Resta ferma, in mezzo alla sala, con la morte negli occhi. I soldati la prendono e la portano di nuovo in prigione.

Un'altra notte è arrivata nella fredda prigione. Per tutto il giorno Elisa ha gridato e ha pianto. Poi, stanca, si è addormentata. Il sonno è arrivato leggero come una nuvola bianca: l'ha portata lontano, tra pensieri di pace e sogni d'amore.

CAP IV

Cento navi e duemila guerrieri sul mare davanti a Palermo. Arux è il loro capo.

Sono venuti da tutta la Sicilia per combattere Lothar: ogni città ha mandato navi e soldati. Da Catania è arrivato Rosario con settanta compagni; Turi il Bello con duecento uomini è venuto da Trapani; Nuccio Ridò ne ha portati trecento da Mazara e Agrigento; anche Siracusa è presente: i suoi soldati sono i migliori.

Da giorni gli uomini di Arux controllano il mare. Le navi di Lothar sono ferme e non possono uscire dal porto. Anche da terra è impossibile lasciare Palermo: dai monti, i guerrieri del principe controllano tutte le strade.

- Tutto è pronto, mio signore. Che cosa aspettiamo? - chiede un soldato.

Arux non risponde. Dalla sua nave guarda Palermo e resta in silenzio. Ha più uomini ed armi di Lothar ma non vuole attaccare. Da quando ha saputo che Elisa è prigioniera, si sente meno sicuro:

"Se comincio la guerra, la donna che amo morirà. Lothar la tiene in prigione ed è pronto ad ucciderla. Ma Palermo mi aspetta, vuole giustizia e vendetta. Anche i soldati aspettano la mia decisione e sono nervosi."

- A cosa pensi, ragazzo? - domanda Mastro Michele - Da giorni non parli. Ti manca il coraggio?

- Non è questo il problema. Io sono pronto a morire in battaglia, ma questa guerra non è uguale alle altre. Non serve la forza se non porta giustizia per tutti.

- Dunque, che cosa vuoi fare?

- Ascoltami bene Mastro Michele e ascoltate anche voi, guerrieri del mare - dice ora Arux alzandosi in piedi - Questa sarà una battaglia diversa, senza sangue e dolore. Avremo giustizia e vendetta senza morte e violenza.

Tutti lo ascoltano attenti.

- Domani entreremo a Palermo, e la pace e la giustizia torneranno.

- Sarebbe bellissimo, ma come faremo? - chiede Mastro Michele.

Anche i soldati si guardano in faccia. Non capiscono.

- State tranquilli - dice Arux - So bene quello che dico: noi vinceremo. Le forze del cielo ci aiuteranno.

Il principe Arux continua a parlare, sulla nave che viaggia leggera.

La sua voce è sicura: ora sa come fare.

CAP V

È notte.
Sui monti, dei fuochi lontani. Sul mare, le luci di navi da guerra.

Da giorni Palermo aspetta che la battaglia cominci.
In città ormai non arriva più niente: né pane, né pesce. La gente ora muore di fame.
Lothar è nervoso, non dorme: dalla **torre** più alta, sta guardando le luci delle navi di Arux.
"Devo cominciare a combattere" - pensa - "Non posso più aspettare. Sarà una battaglia terribile, ma io la vincerò: ho navi veloci e molti soldati. Arux e i suoi uomini moriranno".
Lothar continua a pensare mentre, poco lontano, alcuni soldati parlano piano. Improvvisamente...
- Arrivano! - grida uno - Le navi di Arux si stanno muovendo!
- Preparatevi - dice Lothar - La battaglia è vicina.
In pochi minuti, tutti i guerrieri di Lothar corrono al porto: da molto tempo aspettavano questo momento e ora guardano le navi di Arux che vengono verso Palermo.
- Attenzione! Una **barca** è già entrata nel porto! - grida una voce.

- È un vecchio - dice Lothar - Non ha armi con sé. Forse porta un messaggio di Arux. Lasciatelo venire.

Lentamente, il vecchio scende dalla barca e si avvicina.

- Il mio nome è Mastro Michele - dice - Mi manda il principe Arux. In cambio della vita di Elisa, è pronto a fare la pace. Guardate le sue navi: stanno venendo per lasciarvi le armi.

Un lungo silenzio segue le parole del vecchio. I soldati non sanno cosa pensare.

- Forse hai ragione - dice infine Lothar - Ma non voglio che le navi di Arux entrino nel porto. Le armi andremo a prenderle noi.

È notte sul mare: le navi e i guerrieri di Lothar sono partiti. Arux, più lontano, nel buio li aspetta.

CAP VI

Il freddo sole del mattino.

Sul mare, calma e silenzio. Nell'acqua, i resti di armi e navi da guerra: spade, lance e coltelli, alberi, **vele** e pezzi di legno.

È stata terribile la battaglia, ma adesso è finita.

Ieri notte, Arux ha aspettato che Lothar uscisse dal porto. Poi, quando ha visto le navi arrivare, ha preso con sé gli amici migliori: Jonas, Sario, Teo, Rud e Giuseppe. Insieme a loro, è salito sulle nuvole e - come aveva detto - ha chiamato in suo aiuto tutte le forze

vele

dei cieli: le piogge ed i venti, le tempeste di ghiaccio e le nuvole nere. Tutto questo è arrivato contro le navi da guerra di Lothar.

Senza combattere, stanchi e **impauriti**, i soldati hanno chiesto la pace. Solo Lothar, come un vero guerriero normanno, ha voluto combattere fino alla fine. E così, mentre era in piedi sulla sua nave con la spada alzata, un'onda grandissima è salita dal mare, l'ha preso e l'ha portato via per sempre.

Poi il principe è entrato in città.

- Viva Arux, nuovo re di Palermo ! - gridava la gente per strada. Il re salutava felice e aveva per tutti parole gentili:

- Buongiorno, Rosina.

- Buongiorno, mio re.

- Dimmi una cosa: ascolti ancora gli uccelli parlare?

- Sì, mio signore. I loro racconti sono i più belli.

- E tu, Nurdin, vendi sempre il tè al mercato?

- Certo ragazzo, è davanti a un bicchiere di tè che si siedono e parlano gli uomini.

Infine, vicino al Palazzo Reale, l'incontro con Elisa.

- Sei sempre bellissima - l'ha salutata Arux con voce gentile.

- Oh, grazie - gli ha detto Elisa sorridendo - Ma allora, il guerriero normanno conosce l'amore?

- Sì - ha risposto Arux con gli occhi felici - Io conosco il mio amore.

---

impauriti: pieni di paura. *Es.: i bambini sono impauriti perché hanno visto un grosso cane.*

3 5

EPILOGO

Ora è festa a Palermo: musiche e danze in tutte le strade.

L'inverno è finito. Nell'aria leggera, tutti i profumi d'aprile. Ridono felici Jonas e Sario, cavalieri del cielo, mentre scrivono in alto, con nuvole bianche:

ELISA ED ARUX INSIEME PER SEMPRE

FINE

RIASSUNTO

Introduzione

Questa è la storia dell'amore tra il principe Arux, figlio di re Guglielmo, e la giovane Elisa, figlia di un ricco mercante siciliano. Siamo a Palermo, nell'anno 1076. A quel tempo in Sicilia governavano i normanni, popolo di guerrieri venuti dal nord Europa. Palermo era una città grande e ricca.

Parte prima **- L'amore**

CAP I. Un giorno d'estate, Elisa aveva letto ad Arux una poesia d'amore. Il principe normanno, dopo quell'incontro, aveva capito di essere innamorato.

CAP II. Ma quando era andato dal padre per parlargli del suo amore per Elisa, il vecchio re Guglielmo lo aveva umiliato davanti a tutti i nobili normanni: un principe del nord - aveva detto - non poteva pensare di sposare una donna siciliana.

CAP III. Qualche giorno dopo, al porto, Arux incontra Rosina, un'amica di Elisa. La ragazza gli dice che per capire l'amore bisogna ascoltare gli uccelli e che Nurdin, l'uomo che vende il tè al mercato, può aiutarlo.

CAP IV. Il mattino dopo Arux vede Nurdin. I due parlano a lungo: Nurdin spiega ad Arux che Mastro Michele, l'uomo che conosce la lingua degli uccelli, è partito per Napoli.

Parte seconda - **Il viaggio**

CAP I. Così Arux parte per Napoli insieme a tre amici: Teo, Rud e Giuseppe.

CAP II. Mentre tornano da Napoli insieme a Mastro Michele, Arux e gli amici incontrano i pirati. Combattono come leoni, ma non possono far molto. Alla fine i pirati li prendono e li portano a Malta, dove saranno schiavi.

CAP III. Dopo qualche mese passato sull'isola, Arux è riuscito a imparare la lingua degli uccelli. Un giorno d'inverno si ferma ad ascoltare il racconto di un uccello che viene da Palermo. Ci sono brutte notizie: Lothar, un giovane guerriero normanno, ha ucciso il vecchio re Guglielmo e ha preso il potere.

CAP IV. Per vendicare il padre, Arux decide di scappare da Malta insieme agli amici. Ma come fare?

CAP V. Mentre i pirati sono alla festa, Mastro Michele porta gli amici da Jonas e Sario, due schiavi venuti dai monti dell'est. Con il loro aiuto salgono tutti sulle nuvole e scappano da Malta.

Note

Parte terza - **Il ritorno**

CAP I. A Palermo la vita è cambiata. I soldati di Lothar rubano e uccidono, la gente ha paura. I sapienti, nella grande biblioteca, non vogliono continuare a studiare; anche Elisa pensa che sia meglio discutere della situazione in città.

CAP II. Verso sera Elisa incontra Rosina. L'amica le racconta le ultime notizie: sembra che Arux sia scappato da Malta e che sia tornato in Sicilia. Ma la felicità di Elisa dura poco: i soldati di Lothar la prendono e la portano a Palazzo Reale.

CAP III. Dopo una notte in prigione, Elisa parla con Lothar. Il nuovo re le spiega perché la tiene prigioniera: ha paura che Arux attacchi la città.

CAP IV. Da giorni le navi e i soldati di Arux controllano il mare e le strade intorno a Palermo. Tutto è pronto per l'inizio della battaglia, ma Arux non vuole attaccare. Se lo facesse, Elisa morirebbe. Alla fine, il principe parla ai soldati e spiega come vincere la guerra senza causare morte e violenza.

CAP V. Intanto, a Palermo, la gente muore di fame; da giorni in città non entra più niente. Una notte, all'improvviso, arriva Mastro Michele con un messaggio di Arux: il principe vuole la pace in cambio della vita di Elisa. Subito, Lothar e i suoi soldati salgono sulle navi per andare incontro ad Arux.

Note

CAP VI. È mattina, la battaglia è finita. La sera precedente, Arux ha aspettato le navi di Lothar e poi è salito sulle nuvole insieme ai suoi amici. Dall'alto, ha portato pioggia e tempesta contro Lothar e i suoi soldati. Lothar è morto; Arux è entrato in città come nuovo re. Infine, dopo mesi di separazione, ha incontrato Elisa.

Epilogo

L'inverno è finito. Musiche e danze in città: Arux ed Elisa si sposano.

Scheda

LA SICILIA

La Sicilia è la più grande isola del mar Mediterraneo. A causa del suo clima molto caldo, è chiamata anche l'Isola del Sole. Pensate che a Palermo (così come a Catania, Siracusa e Agrigento) ci sono in un anno circa mille ore di sole più che a Parigi, Londra o Berlino.

Se volete visitare l'isola, il periodo migliore per farlo è la primavera. In questa stagione le temperature non sono molto alte e i colori della natura sono particolarmente belli.

La geografia dell'isola è molto varia: ci sono coste e mari stupendi, ma anche montagne e campagne a volte verdissime e a volte desertiche.

La sua posizione al centro del Mediterraneo le ha dato una storia molto interessante. Per tanti secoli, infatti, la Sicilia è stata il punto d'incontro di popoli diversi: greci e romani, africani e arabi, normanni e bizantini. Ancora oggi è possibile osservare le tracce di queste antiche civiltà nei magnifici monumenti che esse ci hanno lasciato. Per questo motivo, secondo il grande scrittore tedesco J. W. Goethe, la Sicilia sarebbe la chiave per capire l'Italia.

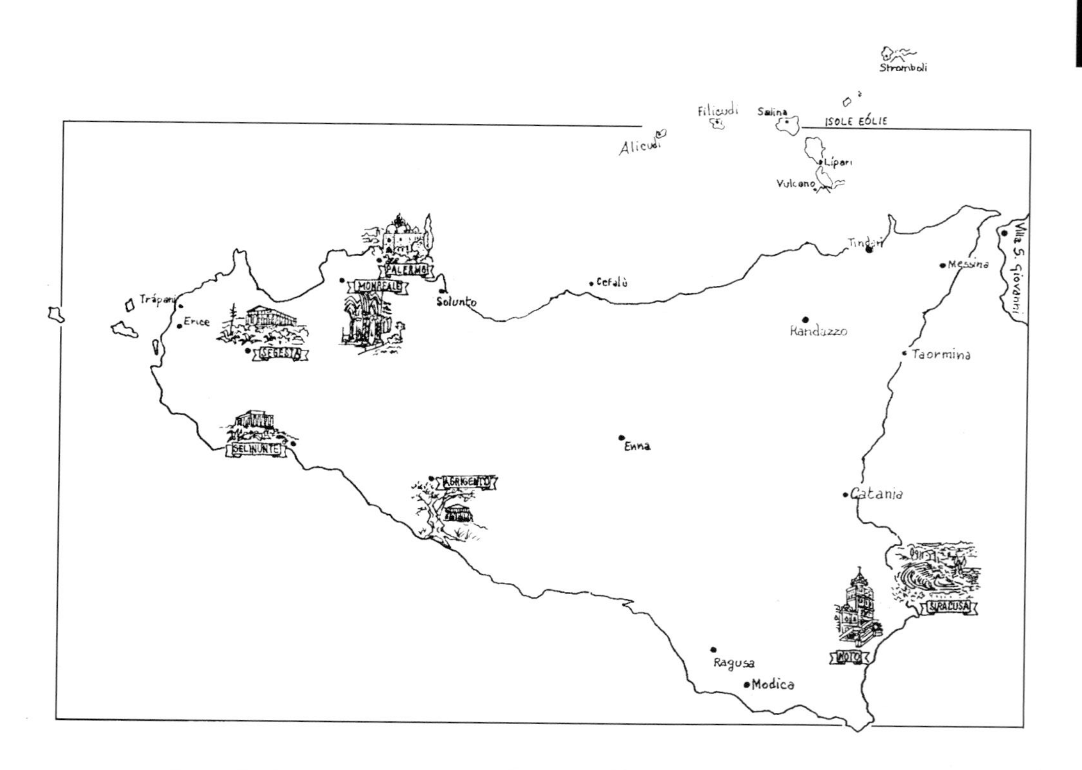
Stromboli
Filicudi
Salina
ISOLE EÓLIE
Alicudi
Lipari
Vulcano
Villa S. Giovanni
Tindari
Messina
Cefalù
Solunto
PALERMO
MONREALE
Trápani
Erice
SEGESTA
Randazzo
Taormina
SELINUNTE
Enna
AGRIGENTO
Catania
SIRACUSA
NOTO
Ragusa
Modica

Qualche giorno sull'isola.

Programma di viaggio

Per arrivare in Sicilia avete varie possibilità:

- con l'*aereo*, attraverso gli aeroporti internazionali di Catania e Palermo;
- con il *treno* o la *macchina*, dopo un viaggio lungo tutta l'Italia. A Villa San Giovanni, vicino a Reggio Calabria, dovete prendere il traghetto (ferry boat) e passare il famoso stretto di Messina. In pochi minuti sarete sull'isola;
- infine, se volete seguire il viaggio di Arux, con la *nave* da Napoli.

In quest'ultimo caso vi consigliamo di passare per le Isole Eolie (da Napoli c'è una nave ogni giorno). Tra queste, è molto interessante l'isola di Stromboli, che è un **vulcano** ancora attivo. Bellissime sono anche Panarea, a sud di Stromboli, dove soltanto da pochi anni è arrivata l'elettricità, e Filicudi e Alicudi, dove non ci sono macchine e il solo mezzo di trasporto è l'**asino**.

Se invece preferite una vacanza meno "avventurosa", fermatevi a Lipari, l'isola più grande. Qui troverete i classici alberghi turistici, ma anche i resti di antiche città e le caratteristiche "cave bianche di pomice" (rocce bianche molto leggere).

Note

Da Lipari, sempre con la nave, potete arrivare a Palermo. Se volete continuare a seguire le tracce di Arux, allora andate alla Vucceria, un mercato tipicamente mediterraneo, nel cuore della città vecchia. Poi visitate la Zisa, un'antico monumento arabo-normanno; il nome viene dall'arabo aziz, che vuol dire caro, delizioso. Infine andate al Palazzo dei Normanni, il Palazzo Reale della nostra storia. Dentro, è possibile visitare gli Appartamenti Reali e i bellissimi **mosaici** di stile bizantino.

Sulle montagne vicino Palermo si trova Monreale, piccola città famosa per il suo bellissimo **duomo** del XII secolo. Anche questo è un esempio altissimo di architettura normanna.

Molto interessante è la Sicilia greco - romana. Se amate l'archeologia, non perdete l'occasione di una visita a Segesta, sulla strada tra Palermo e Trapani: il suo **tempio** greco è uno dei più belli. Poi continuate verso sud, lungo la costa, e passate per Selinunte, un centro archeologico tra i più famosi del mondo. Qui, a pochi metri dal mare, si trovano i resti di un'antica città greca (V sec. a. C.).

Ad Agrigento, ancora più a sud, è assolutamente necessario vedere la Valle dei Templi, dove sono riuniti alcuni dei monumenti più caratteristici dell'architettura antica. Questo posto è famoso anche per un'altra ragione: ogni anno, all'inizio del mese di febbraio, gli alberi di **mandorle** fioriscono; la valle, allora, diventa un grande giardino, pieno di colori e profumi.

---

mosaici: decorazioni, puzzles.
duomo: grande chiesa, cattedrale.

tempio

mandorle: piccoli frutti molto duri, dalla forma stretta e lunga.

Prima di andare a Siracusa, dove finisce il nostro viaggio, vi consigliamo di fermarvi a Noto. La città che oggi vediamo è nata nel XVII secolo, sopra i resti di un antico centro di origine romana. La sua particolarità è di essere tutta in stile barocco.

Infine Siracusa, città dalla storia antichissima, che offre musei, chiese e palazzi di tutte le età e di tutti gli stili. Importanti sono il teatro greco, l'anfiteatro romano, il tempio di Apollo e il duomo barocco.

Naturalmente, questa è solo una proposta per un viaggio di pochi giorni. La Sicilia non finisce qui e le cose da vedere sarebbero ancora molte. Se perciò avete tempo, vi consigliamo di visitare anche Catania, Taormina, Cefalù, Solunto, Enna, Erice, Ragusa, Tindari, Randazzo e Modica: sono tutti posti bellissimi e pieni di storia.

Alcuni consigli utili

- ❑ Attenti al treno! Molto spesso non è un buon mezzo per muoversi in Sicilia: può essere molto lento e comunque non arriva in ogni città. Se non avete la macchina, scegliete l'autobus.

- ❑ Se andate in estate portatevi il cappello. Il sole siciliano è caldo e bollente come quello africano!

- ❑ Spesso, in primavera e in estate, in molte città siciliane è

possibile vedere spettacoli teatrali all'aperto, negli antichi teatri greci e romani. Non perdeteli, sono veramente emozionanti.

❑ Non partite dall'isola senza prima mangiare i deliziosi dolci siciliani: i cannoli, dolci di pasta con **ricotta** e **canditi**; la cassata, una torta con gelato e canditi; le granite, succo di frutta o caffè con ghiaccio e zucchero; e infine i gelati, conosciuti in tutto il mondo per la loro varietà e qualità.

Ecco gli indirizzi delle due **pasticcerie** palermitane più famose:

Antica Focacceria San Francesco, via A. Paternostro 98

Pasticceria La Martorana, via Vittorio Emanuele 96

---

ricotta: tipo di formaggio.
canditi: frutta secca con zucchero.
pasticcerie: negozi che vendono dolci.

ESERCIZI DI COMPRENSIONE

Introduzione

Gli arabi hanno governato in Sicilia
- a) prima dei normanni
- b) dopo i normanni
- c) insieme ai normanni

Parte prima - **L'amore**

CAP I

Ad Arux la poesia
- a) non è piaciuta
- b) è piaciuta moltissimo
- c) è piaciuta solo un po'

CAP II

Re Guglielmo non vuole che Arux sposi Elisa perché
- a) è figlia di un nobile
- b) è figlia di un re
- c) è figlia di un siciliano

CAP III

Rosina ha imparato la lingua degli uccelli

a) con l'aiuto di Mastro Michele
b) con l'aiuto di Elisa
c) da sola

CAP IV

Arux cerca Nurdin perché l'arabo

a) conosce Elisa
b) conosce l'amore
c) conosce Mastro Michele

Parte seconda - Il viaggio

CAP I

Arux non ha tempo perché

a) deve partire per Napoli
b) deve andare alla moschea
c) deve andare al mercato

CAP II

Arux e gli amici vanno a Malta perché

a) ci abita Mastro Michele

b) vogliono combattere contro i pirati
c) i pirati li hanno presi

CAP III

L'uccello venuto dal nord racconta che
a) il vecchio re Guglielmo ha ucciso Lothar
b) gli arabi hanno ucciso il vecchio re Guglielmo
c) Lothar ha ucciso il vecchio re Guglielmo

CAP IV

Mastro Michele dice che la sera è possibile scappare perché
a) i pirati li aiuteranno
b) i pirati andranno alla festa
c) i pirati lasceranno l'isola

CAP V

Arux e gli amici scappano da Malta
a) con una nave
b) sulle nuvole
c) a cavallo

Parte terza - **Il ritorno**

CAP I

Da quando Lothar ha preso il potere

a) la città vive nella paura
b) la città vive nella pace e nella giustizia
c) niente è cambiato

CAP II

Rosina dice a Elisa che

a) Arux è sicuramente in città
b) Arux è sicuramente in montagna
c) forse Arux è tornato

CAP III

Lothar tiene Elisa in prigione perché

a) è innamorato di lei
b) ha paura che Arux attacchi la città
c) ha paura di lei

CAP IV

Arux non vuole attaccare perché

a) pensa che Lothar sia più forte
b) vuole fare la pace con Lothar
c) ha paura che Lothar uccida Elisa

CAP V

Mastro Michele dice che Arux

a) non vuole la guerra
b) è pronto ad iniziare la battaglia
c) vuole le armi di Lothar

CAP VI

Arux ha vinto la battaglia perché

a) aveva più navi di Lothar
b) ha chiesto aiuto alle nuvole
c) Lothar ha avuto paura

Epilogo

Arux ed Elisa si sposano

a) in primavera
b) in inverno
c) in estate

ESERCIZI DI VOCABOLARIO

1. Riempi gli spazi vuoti con le seguenti parole:

mercante, pirati, tramonto, nuvola, guerriero, paura, isola, coraggio, ricerca, schiavi.

"Un ____________ normanno" - aveva detto il vecchio re - "Non può pensare di sposare la figlia di un ______________ siciliano." Arux non aveva risposto. Per la prima volta nella sua vita non aveva avuto ____________. Dopo qualche giorno era partito per Napoli alla ____________ di Mastro Michele, l'uomo che capiva gli uccelli. Ma sulla via del ritorno aveva incontrato i ____________. Senza ___________, aveva combattuto contro di loro. Alla fine, però, lo avevano preso e lo avevano portato su un'___________. Qui, insieme agli altri ____________, per molto tempo aveva lavorato la terra dalla mattina al ___________. Ma un giorno, finalmente, era salito su una ___________ ed era scappato.

2. Riempi gli spazi vuoti con le seguenti parole:

aiuto, vendetta, battaglia, soldati, pioggia, lontano, odio, assassino, prigione.

A Palermo, mentre Arux era ____________, tutto era cambiato. Lothar, l' ____________del vecchio re Guglielmo, aveva portato ____________e violenza. Poi, quando aveva saputo che Arux era scappato, aveva messo Elisa in ____________. Arux voleva ____________, e per questo era tornato con navi e ____________. Ma non poteva attaccare:

"Se inizio la ____________, la donna che amo morirà" - pensava.

Alla fine aveva chiesto ____________a tutte le forze dei cieli e aveva portato ____________ e tempesta sulle navi di Lothar.

PER LA DISCUSSIONE IN CLASSE

1) Descrivi il personaggio di Arux.

2) Descrivi il personaggio di Elisa.

3) Descrivi la città di Palermo al tempo dei normanni.

4) Che cosa conosci della storia d'Italia?

5) Secondo te, i popoli del mar Mediterraneo hanno delle caratteristiche comuni? Quali?

Esercizi di comprensione - *SOLUZIONI*

Introduzione
a

Parte prima - **L'amore**

CAP I: b
CAP II: c
CAP III: a
CAP IV: c

Parte seconda - **Il viaggio**

CAP I: a
CAP II: c
CAP III: c
CAP IV: b
CAP V: b

Parte terza - **Il ritorno**

CAP I: a
CAP II: c

CAP III: b
CAP IV: c
CAP V: a
CAP VI: b

Epilogo
a

Esercizi di vocabolario - *SOLUZIONI*

1. guerriero, mercante, coraggio, ricerca, pirati, paura, isola, schiavi, tramonto, nuvola.
2. lontano, assassino, odio, prigione, vendetta, soldati, battaglia, aiuto, pioggia.

Indice

Collana "Italiano facile"

4° livello / 2000 parole

Nove brevi racconti sull'amore, tutti con un finale a sorpresa. Storie romantiche, passionali, divertenti, tragiche, sorprendenti, come solo l'amore sa essere.

Un giallo ironico e appassionante ambientato nel mondo dell'opera e della buona cucina, tra Milano, Venezia e Napoli, con protagonista il simpatico detective Antonio Esposito.